NICASIO URBINA

SINTAXIS
DE UN SIGNO

D

D *Editorial Decenio*

Managua - Nueva Orleáns - Bogotá - Guatemala
Colección Los Motivos del Lobo

© Nicasio Urbina, 1995
© Editorial Decenio, 1995, 1999

Library of Congress
Cataloging-in-Publication Data
Urbina, Nicasio
      Sintaxis de un signo / Nicasio Urbina
      Poesía
      ISBN 958-601-187-X
      PQ 7519.2 U686 S55 1999
      1- Literatura nicaragüense. 2- Poesía

Editor: Ariel Montoya
Portada: Omar D'León
Fotografía: Elaine Mott

A César Vallejo y Roberto Valero,
poetas a quienes esta poesía debe mucho,
tanto en sus significados
como en sus significantes.

INDICE

Ser	13
Metáfora de un signo	14
Mentira	15
Entonces	16
Biografía	17
Destino	19
Ecuaciones	20
Arteta	21
Itinerario	22
Quizás entonces	23
¿Sueños?	25
En silencio	26
El archivo	27
Dictadura	28
La piscina	29
Traficante	30
Pesadillas diurnas	32
Perdido en un bosquejo	33
La forma de mi deseo	35
Los corceles	37
Pequeños inconvenientes	39
Soluciones	40
Sábados	41
De viaje	42
Encuentros	43
Navidad	44
Mariposas de papel	45
Jardinerías	46
Ser por ser en la contienda	47
Los diasol	48

Síntesis de algunos años	50
Poema dominical	52
En el abismo	53
La voz en el silencio	55
Cuadro	57
Vivir	58
Noches, muchas noches	60
Inmortalidad	61
Partitura	63
En el desierto	65
La pérdida	66
Encíclicas	68
Lo que más quiero	70
Proliferan	71
Figuras	73
Como son las cosas	74
Insomne	76
Partir, siempre partir	78
¿Hacia dónde verte sueño?	79
¿A dónde regresar?	81
Casi al morir	82
Testamento del poeta	83

PRÓLOGO

Los cincuenta y dos poemas que componen este poemario fueron escritos entre 1985 y 1995, lo cual hace sumamente significativa su publicación bajo el sello editorial Decenio. Estos años forman un periodo fundamental en mi vida. Habiendo dejado la turbulenta adolescencia, se entra en un período más sereno, siempre acosado por la incertidumbre y el deseo, pero sin la desafiante ironía y la inmortalidad de los veinte años. Para un poeta como yo, quien ha guardado con recelo toda la poesía escrita con anterioridad, este libro es un primer paso en el mundo. Es un paso titubeante, inseguro, con el presentimiento arduo de la caída. Pero ¿no es caer uno de los requisitos más importantes en la vida?

El título de la colección es medular a la poética que me he propuesto. Debido a mi (de)formación profesional, el poeta no puede separarse del semiólogo, del narrador o del maestro. Todos los poemas insisten en la condición sígnica del sujeto, buscan la significación que como seres humanos creemos tener, intentan descubrir las leyes regentes de nuestra ordenación en el mundo. De ahí la sintaxis, de ahí la obsesión formal por reflejar la contínua violación del orden sintáctico, la constante violación que la sociedad, las leyes y las pasiones nos imponen.

El conjunto de poemas intenta ser una vida completa (¿hay en realidad vidas completas?) las cincuenta y dos semanas de un año, los momentos claves por donde pasamos algunos seres humanos, los descubrimientos maravillosos y perversos, la ternura que nos desarma, la torturante razón. Esas son las cosas sobre las cuales me he visto obligado a escribir.

Publicarlas ahora ha sido totalmente opcional; sin duda producto de la vanidad humana, del "compro-

miso" del poeta por publicar su trabajo, de la
necesidad de compartir mi delirio y mi visión, del
necesario pero no menos superfluo afán de
reconocimiento.

Me gusta considerarme un escritor nicaragüense.
No tengo patria. Nací en un país que no conozco,
vivo en un país al cual quiero mucho, pero al que no
pertenezco totalmente. Y viví en Nicaragua sólo una
docena de años en mi vida.

He tenido poco contacto personal con escritores
(tanto nicaragüenses como extanjeros) y mi amistad
con ellos ha sido siempre a través de las páginas de
sus libros y su correspondencia. Por tanto no me
puedo considerar miembro de ninguna generación,
ni reclamo membresía en ningún grupo poético. Es
quizás por eso que mi poesía y mis ficciones en general, reflejan este conflicto existencial. ¿Cómo hablar, de qué hablar, desde dónde hablar?

Sinceramente creo que estas decisiones son más
importantes que las azarosas impertinencias del
destino y son ellas las determinantes al escritor, las
que marcan su obra.

Pero no dejo de sentir nostalgia por la camaradería
de un grupo de colegas; no dejo de envidiar a los
poetas que pueden reunirse en un café o en una torre,
leerse sus poemas, criticarse, pelearse y tomarse unas
copas juntos o retarse a duelo mortal por una metáfora
sublime. A pesar de todo esto, los poemas incluídos
en este libro llevan inscrita a Nicaragua, se preocu-
pan por sus tragedias, se alimentan de su tierra y de
sus aguas, se aprovechan de su historia y de su exilio. Eso, y la necesidad personal de creer pertenecer
a algo, me hacen un escritor nicaragüense.

Nicasio
Nueva Orleans, junio 1995.

PRÓLOGO A LA SEGUNDA EDICIÓN

Cinco años después de entregarlos a la imprenta vuelvo a visitar estos poemas. Tanto yo como mi poética hemos cambiado un poco, pero sigo encontrando en ellos el desafío y el miedo que sentí al escribirlos. No los volvería a componer de la misma manera, como tampoco amaría y dudaría con la intensidad y certeza con que lo hice entonces. No he consignado mayores cambios, me he limitado a corregir algunas erratas e impurezas de la primera edición, y he cortado mejor algunos versos que me parecieron hiperbólicos. Creo que no hay versión definitiva de ningún texto, porque en cada relectura quisiera reescribirlo. Ante la pluralidad de versiones prefiero la original. De tanto enmendar se acaba por destruir. Los defectos de mis versos son testigos de la labor que me ha ocupado y de los límites de mi talento. Para qué seguir sufriendo sus tormentos. Dejo al lector la libertad de completarlos, de darles su propia sentido y su propia significación. Sólo me resta agradecer a los amigos cuya confianza y generosidad asombrará a muchos tanto como a mí.

Nicasio
Nueva Orleáns, noviembre 2000.

SER

Presencia oscura de un vacío.
Manantial preñado de cuerpo
en el accidente ciego de un cálculo.
Placenta exacta, ilusión, presagio,
conclusión rotunda de un círculo.

Ser palabra, vocidad, un nombre,
papel timbrado con firma
y un testigo espejo.
Ser calamidad y milagro.

Natividad dolorosa,
parto, resurrección, signo,
nombre de pila y foto,
dirección, señal, un número,
huella digital, sueño,
y la supuesta significación de un hombre,
carne verbal, signo.

METÁFORA DE UN SIGNO

Nacido verbo bautizado nombre,
adjetivo por educación, moderado adverbio,
preposición y artículo desde chiquitito
y a fuerza de crecer, interjección.

Admirado signo y exclamativo,
ícono indéxico,
semiolograma,
parodia huérfana y dedicativa,
realidad engaño
y por la fuerza madre, copulativo.

De escuela niño y parvulario,
pandillero santo,
erudito mudo ante la ignorancia,
amador profundo,
musical soltero,
paternal,
simpático,
escritor de cosas, filibustero.

Puntuación de días, horas, milenios,
concierto ortográfico de sudores y espermas,
morfemas y arcos, metafórica suerte,
bajo libertad palabras.
Poesía de un hombre,
metáfora de un signo.

MENTIRA

Nací un día de noche
por el conducto natural.
Nací de cabeza, pobrecito,
lleno de sangre y verbal.

ENTONCES

Entonces decidí seguir mirando por los ojos
cuando apagaron la luz en el farol,
decidí agarrar al cisne por el lomo
y entrarle a la ecuación por la cerviz.

Entonces logré vivir en paz con las begonias
cuando cortaron el tallo de raíz,
aprendí la suma de contrarios
y la regla de tres entre los dos.

Entonces perdí la letra consonante
cuando abrí la boca en una a,
callé un silencio de alboroto
y un adverbio escribí en plural.

BIOGRAFÍA

Al nacer me erigieron una lápida,
un poeta famoso me dedicó un epitafio,
con fervor recibí los santos óleos
y me arrepentí de todas mis bondades.

Luché cuerpo a cuerpo
en la sierra de Amerrisque,
amé la vulva húmeda y la glándula progenie,
con el dolor de mi alma traspasé a un malvado
y de puro gusto machuqué a un cienpiés.

Sufrí condena, juicio, procesamiento,
me confesé culpable y me eché a llorar.
Fui hombre libre, practiqué la limosna,
socorrí a los ricos y pernocté con Dios.

Estudié la cronometría al bolsazo,
me doctoré en enero, en medio sol,
enseñé la cara en los gimnasios
y escribí mi nombre en un papel.

Me dediqué a viajar por mi recámara,
conquisté la luna de cristal,
penetré las entrañas de mi cama
y hasta el cielo volé en un avión.

Envejecí de pronto y me hice sabio,
aprendí el lenguaje y guardé silencio,
me acosté de lado y encorvé la espalda
y cerré los ojos para ver mejor.

De memoria recité el libro,
descifré la escritura y conocí el secreto,
me asomé al infinito y vi el círculo,
y encogiéndome de hombros lo olvidé todo.

Volví la mirada y divisé una lápida,
leí el epitafio y deletrée un nombre,
vi nacer a un anciano llorando berridos,
lo vi salir gateando y meterse en un hoyo.

DESTINO

El hombre es y lo siente,
se lamenta de sí mismo y se masturba.
Ordena la ecuación y la despeja,
pero al resolver el canto disminuye.

El hombre dice y calcula,
pero al mirar se experimenta.
Entonces replica terco, examina, mata,
sonríe acquiescente, aplaude.

El hombre besa, escribe,
firma todo con su nombre y borra.
Levanta su voz en el cabildo,
combate, triunfa y se inclina soberbio, canta.

El hombre un día muere, envejece, nace.
Al día siguiente despierta, se lava,
cuelga el crucifijo en la puerta,
pasa el pestillo,
no sabe que es y lo siente.

ECUACIONES

Tengo la cabeza llena de recuerdos,
conozco el punto exacto, la medida fiel,
sé de los nombres las conjeturas
y el resultado exacto de mi sed.

Estoy pleno de ignorancia enciclopédica:
el libro de las noches y los días,
las leyes astronómicas,
la ética y la alquimia,
las tablas matemáticas, la simpatía.

Poco a poco pierdo la memoria,
estudio como loco y se me olvida,
y todo lo que aprendo se me ordena
en el vasto archivo de la nada.

Todo lo que sé es conocimiento
información fecunda, vívido aliento,
y ante todo ese saber yo me pregunto:
¿Cuál es el sentido? ¿Significo?

ARTETA

La noche oscura del poema brilla,
tiene en su voz una sirena,
una campana tañe su piel,
vive en su sombra una paloma.

Compone poemas con las manos el poeta,
pone las palabras torvas,
esclaviza con adverbios,
acentúa lloro y modifica escupe, mata.

Surge del verbo la epopeya muda,
grita la hazaña su sangre,
calla el clarín y se enrosca.
El héroe regresa, tropieza, nace.

Bate la arcilla con los pies el poeta,
moldea la forma, concibe,
yerra, calcula la sombra,
señala la metáfora, provoca.

ITINERARIO

Hoy he puesto las cosas en su puesto justo:
La partida de nacimiento junto
al certificado de defunción,
planché con mucho esmero mi corbata
y afilé el lápiz de papel.

Hoy he pagado la renta con dinero,
me lavé el hígado y la constitución,
puse al día todos mis pecados
y perpetré un crimen sin dolor.

Hoy por fin he perdido el camino de mi vida,
llegué a la puerta grande y la cerré,
escribí un poema blanco con las manos
y me le comí a mi madre la ilusión.

Hoy he guardado en el banco mi dinero,
castigué a un hijo con mi amor,
puse en orden los sonidos de un vocablo
y grité mi nombre en alta voz.

Al final hoy he muerto
con soltura y con destreza,
firmé un evangelio, juré una pasión,
rechacé las reglas aritméticas
y con dolor escribí este poema.

QUIZÁS ENTONCES

Muerta la carátula tristeza,
los pecados aliviados,
las lecturas,
la escritura que me deja sin sentido,
y esta mortal tristeza ufana.

Si pudiera volverme por los años
y ser de nuevo niño,
caminante,
descansar mis pulmones en la mano
y cantar con todo el pecho y el tamaño.
Pero ahora estoy totalmente en el exilio,
he perdido la memoria y el sentido,
me molestan los resortes de la cama
y soy soberbio, animal, abrupto.

La tristeza de la noche es Caterpillar,
arrasa con lo alegre de mi llanto,
repasa las linternas de mis ojos
y es promesa animal, escapulario.
A las dos de la mañana soy fracaso,
temblor pálido de noche y heroína,
camino de fronteras, expulsión, presagio,
y el avión donde marcho es mi condena.

No sé si soy, mas lo presiento:
me encuentro en todos los espejos,
sonrío mendigo y harapiento
y escribo mis versos con coronas.
Me traicionó la guerra y me insurrecto.
Lucho contra esta paz y me dispongo.
Me rasco la pierna, iracundo,
me rompo una vena, irredento.
Tristeza material y catapulta,
conquista femenil, minoritaria,
responde con desgano mi intestino,
y soy camarada luz, un poco cierto.
¿Por qué siempre me olvido la respuesta,
la puerta de una llave que me estorba,
la dictadura que me ignora y me consiente,
la noche cerrada, impertinente?

Bicicleta de dolores y carreras,
digestiones dolorosas, vomitivas,
ausencia total que rellenamos
con cuartillas impresas y planillas.

Estrofa perfecta me sostiene
cuando me falla el tobillo debilucho,
pero me habla una niña y me confunde,
y tropiezo inclemente, cortesano.

Así voy a morir:
tubérculo exacto y alabado,
capitán de barco, dactilógrafo.
Quizás entonces encuentre la respuesta,
la ecuación exacta, el parentesco.

¿SUEÑOS?

Cuando el poeta delira
¿es Dios quien habla?
En su delirio compañero
quiere el poeta encarnar el verbo.

¡Sufre Dios delirios de poemas!

EN SILENCIO

El otoño me ha entrado por la boca
y pienso colérico tus senos.

Soy un montón de signos pesarosos.
Te veo en la rotación de mis relojes
y te inscribo silente en mi rutina.

Quisiera poder hablar, para abrazarte,
quisiera saber de números y sumarme,
quisiera conocer la noche de mis días
y sorber el aire tenue de tus hojas.

Afuera llueve suavemente
y tus piernas húmedas brillan en la calle.

Tengo la corbata hecha un nudo.
Quiero llorar y me atraganto.
Las hojas secándose en tu mente
son pedazos de mi voz,
puro alimento.

Tú gobiernas sin arbitrio
y yo protesto, proletario y presidente.
Soy músculo pensante de tu aliento,
y en esta soledad de los tranvías,
irrumpo en un canto,
puro intento,
letra transparente del abismo
que encierra tu diente y tu misterio.

EL ARCHIVO

Recordarlo todo
y dolerse una vez más en la memoria.
Sufrir incansable el silencio de la noche,
saberse amado y encontrarse solo.
Tener la certeza del círculo
y la exactitud de las horas,
saber que lo empezado termina,
que todo es pasajero, itinerante,
que nada permanece en esta vida
y el dolor es una forma del destierro.

¿Por qué vivir las proyecciones de los días
si aun las margaritas se corrompen?
¿Para qué empezar una noche de granito
que pierde su temple y su estructura?

Amar con el riñón y los sentidos,
ser piedra etrusca, vibración y tiempo,
para que una noche solitaria se interponga
y ser demonio, postración y duda.
Terminar siendo pistola,
espolón agudo y griterío,
después de que las rosas han partido
y sólo queda la función y el pergamino.
Quizás imaginar otras galaxias,
ser poder correccional o forajido,
para brindar ciego por la vida
y caminar estrecho en los pasillos.

Aún no entiendo el lenguaje de los grillos,
pero trabajo sordo el estilete,
porque solo en el camino de los signos
puedo ser sentido y sobretodo.

DICTADURA

El puño me ha crecido del tamaño de la mano
y soy un hombre fuerte y poderoso,
puedo ver desde mi casa
las techumbres del poblado
y leo en las acequias los poemas de sus leyes.

Conozco sus pesares y sus aspiraciones,
pero en mi mirada severa
me disminuyo inseguro,
me recrimino la hora intangible del anhelo,
la avaricia sensual, el respeto;
repito incansable el nombre de mi escoria
y me desconozco impotente,
temeroso, mugriento.

Veo en el espejo y miro mi rostro inocente,
busco en el fondo de mí mismo una armonía,
una conjunción verídica de mi ser tortuoso
que me permita sentarme y comprenderme vivo.

Pero soy casual y ruiseñor sereno,
pertenezco a la ruidosa
convicción de un género,
y me esperpento cauto,
desconfiado, sordo.

¿Por qué ser colega si la unión no espera?
¿Por qué la libreta y las anotaciones?
La corbata se me enrosca y me atraganta
y cuando escribo lo hago con mis intenciones.

LA PISCINA

Supe que eras tú sin haberte visto
cuando saliste de las aguas como noche,
oscura ramazón que se interpone
entre mi ser y yo, conciencia reflejada.

Te vi estirar tranquila la palabra,
decir algunas cosas inconclusas,
sonreir, como por lástima
y mirar en derredor con desconfianza.

Tú protestas en lenguas que no hablo,
eres avestruz y cordillera,
sueñas con los hombres que te quieren
y te amarras el cabello con la seda.

De todas maneras la casa no era nuestra,
tú vivías leyéndote en los libros,
yo buscaba tu rostro en las pantallas
y la vida nos trataba a las patadas.

Escucha como suena la maraca,
es la carne viva que acompaña,
el ojo cerrado que perfila
la imagen de tu cuerpo y tus entrañas.

Ya el cristal ha dejado de pensarnos
y somos dos fantasmas de la mente,
tu vagas impasible por el campo
y yo tengo una noche y tres cimientes.
¿Volverán los días
de tus frescos ardores en mis manos?
Bien sabes que no. A las aguas
tu estirada dicción ha regresado,
perdida en las estelas de la nada.

TRAFICANTE

Vuelta a la planificación y al deseo:
administrar la vida en un papel,
memorandum del olvido,
agenda y reunión de un proyecto global:
salvar al ser humano de su propia maravilla,
crecer hasta la cabecera de la cama
y ser grande, efectivo, monumental.

Tú quizás quieres ser pequeño,
quedarte del tamaño de una o,
ser parte del río, el manantial y el fuego
y pensar que en alguna parte
también se pone el sol.
Pero la vida avanza a empellones tristes
y te resistes remolón en la contienda,
te quedas rezagado, no publicas,
y caminas a tropiezos y espolones.

Presentar a novicios y viciosos,
descubrir sus ansiedades,
su historia personal, sus anatemas,
y entender la perspectiva de un abismo
al ser un poco geografía y hermanable.

Ver como quien ahora llega
es un tanto melodioso,
que también le canta a la heroína
y se desplaza en su coche sobre ruedas.
Pensar que la tristeza es cierta
y los hijos, pocos,
aunque la tierra esté llena de poemas
y las tarántulas manejen los valores.
Tomarse un fijicol con un amigo
y hablar de las campañas y los lirios,
no comer algunas cosas,
ser un galletón o un forajido
sin explicar las razones
ni entender las sonrisas.

Tornar a la enseñanza y la lectura,
la deshojada rama de un árbol
o la tenue metáfora de un suspiro.
Caminar oculto por la elevada cima
sin ver al vertizonte, ni ser visto.

PESADILLAS DIURNAS

En la oscuridad de la noche me despierta
el profundo malestar de un dardo,
la tristeza de perder el tiempo,
de morderme la conciencia con rechazos,
con pequeños sacrilegios de venganza
que no aumentan la pasión
ni el carácter mejoran.

Volverme sobre el mundo y matar,
acabar con la justicia y la injusticia,
anular a los contrarios por igual:
al casi ciego, privarle de la vista,
empujar un poquito al que tropieza,
invitar al alcohólico a un trago,
al que busca una salida, escondérsela.

Y luego despertarme, viajar un poco,
escribir unas notas musicales,
ser bueno y de todo corazón,
así tenga que abdicar a la carrera,
y sufrir a pecho el pensamiento
y saber culpables a los apóstatas.

Sin embargo vuelvo...

PERDIDO EN UN BOSQUEJO

Vuelve la guerra con sus perros de caza:
vuelven las escenas de manos que claman,
de árboles altos y de ejecución;
las cámaras lloran sus vivos colores,
caminan su canto los funerales
cargados de sordos horrores y madres,
los colores se anudan en la fiera batalla
y muere poco a poco toda la ilusión.

La montaña ha invadido
el corazón de los hombres
y nos miramos con esmero la cerviz,
buscando el momento justo
para asestar el golpe,
para vestirnos de santos y salir a panteón.

Hemos crecido grandes en el campo de batalla,
hemos burlado la vista y agotado el sermón,
porque la libertad se ha vendido
por unas cuantas palabras,
y estamos encerrados en un poema de cartón.

La noche se ha hecho en la cámara del arma
y respiramos jadeantes por el ojo del ciclón;
somos carne tierna tentando al caníbal
y antropófago hambriento de luz y pedernal.

¿Quién se atreve a afirmar
que ya hemos muerto suficiente,
con este cáncer que nos une
y la enorme llaga que nos forma?
Si la sangre no lava la sangre
y el detergente no sirve;
si las armas de mis hijos me golpean en la mente,
y la granada madura colgada de mi espalda.

En las grandes capitales se celebran las uniones
y viven los museos sus sueños de dulzura,
pero las novelas recuerdan
que los días son de piedra,
el sufragio es una mancha imposible de llevar
y en algunas cicatrices pupilares
se lee la divisa de la Matria por venir.

Podremos terminar altos, claros, advertidos,
ser potentes cantores de la nada
y sucumbir a la nostalgia y al olvido,
pero el odio nos enciende las entrañas
y lloramos en silencio con las balas,
defendemos el derecho con la zurda
y pensamos que la vida es una treta.

En un principio somos y sentimos
pero la sombra del padre nos enreda,
pensamos que la selva es parte de la casa
y confundimos por error el pantalón.
Tal vez si nos quitáramos las gafas
y fuéramos de nuevo dinosaurio,
los sonidos de la guerra se acallaran
y los colores de la muerte morirían.

LA FORMA DE MI DESEO

La fricción de tus entrañas
me angustia enormemente,
tus ríos me descorren
desgastando las paredes de mis venas,
y eres tú y tus montañas,
la carne tierna de tu gente,
el pelo de tus valles que me tienta,
y la forma,
siempre la forma de tus manos
que me mata.

Te veo en las noches de jornada,
oscura y silenciosa,
poseída por los dioses de la infamia,
cubierta de palmeras,
rodeada de aguas tus axilas
y moviendo las caderas de tu cuerpo,
tus rostros destruidos por la guerra,
tus hijos pequeños y con hambre,
sedientos de tu amor y tu sufragio.

Te veo apasionada en el poema,
jadeante en el vaivén de nuestro lecho,
cortada por el medio con un velo
que rompe la armonía de tu canto.

Me duele la función del organismo
cuando veo a otras hembras empreñadas,
su carácter abundante y andariego
me incomoda la visión ante el espejo.

¿Por qué no puedes tú quedarte en casa,
acostarte suave sobre el lecho
y ser amante, natural, civilizada,
y perderte para siempre de la bala?

Por qué no espuma de organismo silencioso
si la noche se cocina a fuego lento,
y en caminos de montañas se encontraran
dos amantes escondidos de la luna.

LOS CORCELES

Prendido de una pierna que se cruza,
de un cabello que al viento bambolea,
de un cuerpo que se curva en un orgasmo
y tiembla ante una mano que lo toca.
Un rostro de demonio angelical,
unos ojos sugerentes,
un seno tierno que perturba:
Imágenes que vuelan y se posan
en la mente castigada de deseo.

Amar a una mujer
y verse perseguido por la sombra,
caminar constantemente
bajo el sueño inagotable,
querer ser uno, indiferente,
y despertar en la canción de los sentidos.

Comprendo que el dolor es cotidiano,
que el vivir conjuga verbos reflexivos,
que sorber el aire de unos labios
es feliz conjunción de los destinos.
Mas romper con el señor de los placeres
y amar a una mujer que me comprende,
es mero paraíso adanímico,
epicúreo programa de la vida.

No sé por qué me menoscabo,
por qué camina rápido la sombra,
va más allá el cuerpo entero
y queda aquí la seña y el silencio.

Es más la posesión que el predilecto.
Dominación histórica, ontológica,
conquista salvaje y placentera
que pierde su misterio con la aurora.

Vivir con cuerpos que se postran en la noche,
vivir rompiendo la palabra de la víspera,
saber que todo es humo y silencio
y que al abrir los brazos me incremento.
Ya lo sé.

La voluntad es madre del concierto.
Agarrarme el alma con las manos
y atado a un mástil de silencio
escuchar la música y el grito.

Pero en mí sigue bullendo la tortura,
continúa la imagen, la cintura,
y aunque luche y triunfe la conducta
se instala la derrota en el cerebro.

PEQUEÑOS INCONVENIENTES

Infiel marido del orden
me acuesto desnudo en el caos,
soy mártir y verdugo perpetuo,
soy camino sin final.

En los días de aquelarre
soy miembro turgente y ebrio,
soy pasión que asfixia un verbo,
oximorón hirsuto, hipérbaton.

Pero baja el río su creciente,
se amansa el pulso, se despeja el verso,
calculo con primor las coordenadas
y ordeno mis piyamas y me plancho.

En esos días establezco los parámetros,
mido la oportunidad y el riesgo,
indago en una puerta y una mina
y evito el desconsuelo de las nubes.

Claro que entonces bajan los sombreros,
se trastorna por completo la comida,
se me pierden las medidas de mi casa
y se me olvida por completo el verbo.

SOLUCIONES

Tengo el cielo completamente nublado
y los ojos de la tarde me duelen con hastío,
la corona de laureles y el quejido
se han marchado por la puerta de la calle.

Tengo plomo en los pies
y las palabras se me caen de la bolsa,
pero mantengo la soltura como puedo
y visito a mis amigos por las noches.

Este piano donde escribo
traquetea con las voces de mi padre,
y en la noche de los libros veo candelas,
azucenas, mariguanas.

Los peritos me encadenan a la vida,
me ponen las comas juntas,
acentúan mis corolas,
y yo me rebelo incauto,
soy manantial de polvo
y fuego de palmera.

En la cintura me amarro
la foto de un corcel,
y me propongo y prometo
que algún día venceré,
mientras tanto me acobardo:
soy cariño, altivez, consigna,
y me esquivo en la penumbra
con la esperanza de volver.

SABADOS

Mis preguntas me marean,
las llamadas telefónicas,
los martillos que danzan en mis sienes,
las pericias de una música,
los cigarros que resuenan en los ojos,
los interminables fijicoles,
las uñas que me atormentan,
los poenemas:
el mundo se compone de teoremas
demostrados en la piel de una amazona,
y cantan sus mentiras en la radio
la pasión, el ejercicio y la tristeza.
Pero aguanto con la vista
y me contengo,
espero a que amanezca
y soy erguido,
camino con las manos,
me resfrío,
y respondo con la lengua
de otros santos.

DE VIAJE

Envuelto en San Francisco de mañana,
con aire de paseante voluntario,
camino repetido en mis imágenes,
único en la serie de animales.

Mis ruedas se repiten voluntarias
sobre una tierra girando locamente,
soy pulmón que se ensancha embravecido,
soy canción robusta y pensamiento casto.

Me pregunto cuánta distancia me separa,
cuál cadena de tiempo me sostiene,
armado combatiente de la duda y el pasaje
en un lugar como este o cualquier otro.

Pero sigo terco caminante
aunque transite a duros empellones,
y viajo cósmico por el salón de la casa
hasta perderme visitante en el pasillo.

Por las tardes sueño con otras carreteras,
otra bicicleta que me arrastre,
y te veo siempre sobre la calzada fría
con tu mirada errada y tu sentido.

Entonces considero que estoy vivo
y me atropello solo en el tumulto,
mientras siento que los nudos de la cama
no bastan a este pobre cubrecuerpo.

ENCUENTROS

Mis piernas se figuran el camino
que atravieza la frontera de la casa,
y me aventuro sigiloso,
el oído hirsuto
pegado a los enigmas de la calle,
la mirada esquiva de una esquina traicionera
me confunde,
el auto ciego que me embiste se emociona,
se estriega contra mí en brava contienda
y me acaricia tibio, fulminante.

Me encuentro en la blancura
de la noche cerrada en el olvido,
y me parece que he vivido este periplo
sin saber si en realidad no lo recuerdo.

A A. Camus y R. Barthes
por sus obras y sus encuentros.

NAVIDAD

Repuestas las auroras de la noche
me palpo cauteloso el esternón,
y sé que ha transcurrido una vez más
el periplo de la nada y el olvido.

Queda sin embargo el malestar:
la terquedad infinita de la plaga,
el vicio insaciable del deseo,
la rueda que no gira
y el sentir de una vida que se esfuma.

Me lavo el cabello y me perfumo,
me miro ante el espejo que no siente
la amargura del recuerdo que me abate,
la nostalgia de los verbos y las horas.

Todo ha pasado, sólo queda
la imagen imborrable de unos rostros,
el sentir de una piel que me atormenta,
¿un nombre y un número qué son?

Hoy es ya mañana u otro día,
un momento en el tiempo es casi nada,
porque sólo en la memoria de los hombres
tiene forma la canción,
el movimiento y la amargura.

MARIPOSAS DE PAPEL

La noche se perfila incendiaria
y el hombre ya no aguanta el palpitar,
sale de la casa,
camina sin saber adonde va,
prosigue un sendero invisible
que lo lleva a la puerta de un bistró.

Entra y pide un trago
que entretiene con la luz de un estriptís.
No sonríe ni se enturbia
pero en él se demora una mujer,
lo torea con lujuria,
con sus brazos lo define en la penumbra
y un vecino se incomoda sin razón.
El hombre se contiene y no contesta,
apura el trago y se deslíe.

El vecino se empecina y vocifera
hasta que rompe la burbuja de papel.
Las manos claras revelan que no carga
y el hombre se resiste a menudear,
el compadre no escucha las razones,
desenfunda bullicioso y descarga sin parar.
Fulgencio siente la brasa trabajosa
y se dobla adolorido sobre el bar,
recuerda breve la historia de su padre
y se escurre suavemente hasta el final.

JARDINERÍAS

Imposible la forma de mirarte
con estos ojos glaucos que te cantan,
y saber que un día de este otoño
todo será recuerdo y entresueño.

Parecidos son los días que se fueron:
en ellos quedó el silencio y el cariño,
vivieron juntos los senderos
y viajaron las manos y los velos.

Alguien volverá por esas calles
y será tu amor una fontana,
verán los trinos sus hojas
y sus flores,
y amará una tarde el jardinero.

No seré yo quien se despierte
como no dormí jamás en tus pasiones,
ni viviré tranquilo en el aroma
del perfecto caminar de tu sendero.
¡Qué va!
Yo apenas respiro con angustia
y veo la tristeza de mis calles,
veo la ruptura de mi canto
en el juego sin final del repertorio.

Todo fue garganta y boca
y pura majestad y cancionero,
pero aún me quedan tus aromas,
el silencio testarudo,
las sienes heridas y el consuelo.

SER POR SER EN LA CONTIENDA

Tratando de ser en el sentido pleno
me escribo en unos cuantos papelones,
aspiro a la quietud de la victoria
pero encuentro solamente el desconcierto.

Vaga mi alma por un cuerpo que no tiene
ni ropa de vestir ni pasaporte,
ni reconoce las puertas de su abismo,
ni reconcilia el uno con el todo.

Ya sé que no reporta el jeroglífico,
que no entiende nada el diccionario,
que son tranquilas las formas del olvido
y robustas las respuestas del combate.

Sin embargo me compongo en el sudario
y respiro caminante en el poema.
No hay fuerza bruta
que el hombre ya no entienda,
ni caminata coja que no sufra.

LOS DIASOL

Vivir en sinfonía y con pasión
es todo lo que pido al pestañear.
Oler las cartas,
tocar las voces de la noche,
sentir la letra discurrente
y la caricia tierna en que te leo.

Vivir con armonía
aunque sea entre motores,
ponerle acento al sol
y ortiga al desconsuelo,
y respirar poderoso
cuando en mis brazos te tengo.

Las balas que afuera llueven
irritan mi pluma candente,
y la postración y el hastío
corrompen la voz de mi anhelo.
Por eso en la tarde silente
me silbo una suave tonada:
romper la emoción de las bombas
y estirarme tranquilo la barba.

*Pero entiendo que el momento
es sólo una dulce ensenada,
que también tiembla la tierra
cuando arremete el cuchillo,
y en la carne irrumpe el canto
como una tierna traición.
Cuando en el fragor de los hierros
puedo ser carne y silencio,
veo una aurora
en la noche de mi verbo;
pero luego irrumpe el ombligo,
se pierde por completo el freno,
y corre desesperada la apatía y el tormento.*

*El río de mi existencia
es de agua colorada,
contra corriente es mi beso,
como cascada es mi casa,
y en la silla donde me siento
se sientan también mis amadas.*

*¡Para qué pensar en ello!
Mejor es vivir lo sentido,
sentir la casaca que visto
y saber: el color es primero.*

SÍNTESIS DE ALGUNOS AÑOS

Setenta años, padre,
setenta tendrías hoy,
en este día de invierno
que calienta,
en esta tierra de tiempo
que te olvida.

Setenta años sin verse
porque te la quitó el mendigo,
cuando volvías la cabeza
y te palpabas el testuz,
y creías que las cosas
empezaban a moverse,
y los sueños por fin
hablaban una voz.

Te recuerda,
tu hija aún te recuerda
en sus miradas y partidas;
yo te rememoro
en mis miedos
más profundos,
y otros que ya te olvidan
o que nunca te conocieron,

no tienen futuro alguno,
simples seres son sin tiempo.

Tú estás allí... allá...
o en cualquier parte,
viendo quizás estos signos
o dormido en nuestro sueño,
pensarás que no te entienden,
luchas contra la corriente,
o sigues viviendo muerto
como viviste viviendo.

Para Guillermo Urbina Vásquez

POEMA DOMINICAL

Mi universo se compone
de unas cuantas calles rotas,
los salones de una casa reducida,
los volúmenes de una esmirriada biblioteca,
y las imágenes que guarda mi canción.

No tengo posesiones ni intereses
que importen el valor de lo que peso,
ni cuento con amigos que atestigüen
mi sueño sincero y mi dolor.

De amores no he perdido el sufrimiento
y conjugo primoroso el verbo,
pero encuentro en lo bello derroteros,
y en la tristeza amarga turbación.

El sueño encontrado en el poema
es nostalgia de sentido y de valor.
No sé hasta cuando la palabra
podrá ungir mi llanto y mi canción.

Quizás por eso me castigo sin consuelo
y busco terco el sonido del vapor,
corto brusco la rosa que me llama
y reparto la semilla y el calor.

Necesito reparar mi crucigrama
y hacer con mis palabras un hogar,
entender: esta vida que yo siento
es prisión, es carne que me alberga
es instrumento de una forma,
y ansiedad que me tortura,
demostración exacta.

EN EL ABISMO

Hecho de ser y estar
y este cuerpo de cosas,
hecho de tristes pensamientos
y razones que me informan,
hecho de rojas vibraciones
que rompen la paciencia,
de consignas protervas,
de intenciones urbanas,
hecho de ilusiones geométricas
que creo casi exactas,
y rupturas desastrosas
totalmente humanas.

En noches solitarias
me veo en esta página,
escribo las imágenes
en la memoria del olvido
y sé que en un momento
de esos esfumados,
volverás majestuosa,
más bella que la aurora.

Para qué, me digo intenso,
si no ha de volver mañana,
y camina casi toda
con su bota y su estatura.
Para qué, me digo todo,
casi cubierto de llanto,
en la triste noche cálida
de la primavera frígida.

Para qué tanto pensar
en la pobreza del cielo,
si hay tanta tierra por sentir
y tanta palabra cantora.
Mejor me acomodo el rostro,
me distingo en la mañana,
y pienso si de veras quiero
ser camino en la frontera,
o si el estudio es la prosa
que rompe con el problema
de ser hombre hecho de carne,
crimen triste de la espera,
compuesto de varios rojos
y de algunos animales.

Si hay forma alguna de saberlo
que me lo digan mis males,
quizás entonces me olvide
tu estás viva y eres calle.

LA VOZ EN EL SILENCIO

Perdido en la alta noche de mi anhelo
escribo estos versos angustiados,
que acaso no valen la tristeza
de un ser desanimado, torturado.

Abrumado de amor y de congoja
me encuentro una vez más,
adicto a la urdimbre tenue
de tu larga cabellera,
incapaz de verme en los jardines sin buscarte,
incapaz de leerme en los poemas sin soñarte;
sabiendo que vives una espera interminable
y yo tengo el alma ebria
y el cuerpo adormecido.

¿Cómo poder vivir la vida entera
si una hora es una carga insoportable
y verte cada noche es mi poema?

Triste condición la de quien ama
cuando la tarde bruma despacio la frontera,
se cubre de penumbras la mañana,
y sólo canta el pájaro mortero.

Me duele enormemente
ver tu firme despedida,
pensar que decir adiós no te perturba;
y saber que por dentro te deshaces
tortura aún más mi cobardía.

Buscar la feliz encarnación
de mi voz en tu silencio suave
justifica mi mirada ciega,
da sentido al vértigo;
todos mis temores y cariños
son pura conmoción
cuando te tengo.

Ya sé: el tiempo es agrio
y la camisa se nos hace chica,
que no quieres deshacer el alma
y dejarme pernoctar en tu sonrisa,
pero yo no puedo convencerme
de ser un general en mi brigada,
y me abro indefenso ante el empuje
de tu aliento tibio y tu antebrazo.

No sé qué más perder en la batalla
si pierdo tu silencio y tu martirio,
si cuando nace el día no te encuentro
¿para qué he de sentir la vida mía?

Camina a mi lado en esta marcha
y déjame ser parte del camino,
la triste condición humana
necesita mi canto
y tu martillo.

CUADRO

*Vivo en esta tierra de nadie
y trabajo con el viento de las horas,
porque sé que algún día volveremos
a la carne de la aurora y la mañana.*

*Mientras tanto me deleito en el combate
de este cuerpo que se pudre a vacilones,
y oscilo entre la duda y la certeza
de ser un simple ser con emociones.*

*¿A qué se reduce la existencia
de un cuerpo agitado en el cristal?
¿En qué incide la vida tormentosa
que nos empuja inclemente hasta el panteón?*

*Amar a una mujer, ser tiempo,
caminar por las calles empañadas,
y vivir con la estatura de la frente
ejerciendo el acto soberbio de escribir.*

VIVIR

Es cerrar los ojos y seguirte viendo,
pilar de fuego cantante,
roja lengua de corales
y amplios labios de silencio.
Sentir las caricias faltantes
y saber que no te entiendo,
pasarán en vano las noches,
los días se harán espera,
y en el sueño de los barcos
la esperanza cabecea.

La luna se levanta y mira mis despertares
contempla con sus fulgores
mis auroras sin tus sueños.

Yo sé: tú no respiras,
vives tus aires siniestros,
vibran en tu cabeza el sueño,
el martirio y el beso,
y todo lo que pienso
es piel rosada, amistad, presagio.

¿La vida? vanos caminos
que rompen con sus proyectos,
se traspone el sentimiento,
intercepta el viento una mirada,
y se plantea toda una causa
importante suplemento.

¿Cómo saber qué sentimiento
es verdad y ocasionado,
si no aguanto mis sospechas
y soy puro amor, recuerdo?

Me equivoco en cada letra,
escribo ardiente y sediento,
sé que en cada verso hay una sombra
que acechando en la rompiente,
y oigo las olas que bañan
mi corazón y mi marca.
Ruptura candente y punzante,
dolor de cáncer que mata.
Vivir unos cuantos años
feliz, trémulo y sonriente.

NOCHES, MUCHAS NOCHES

Situarse en unos días sin pasado
para sentirse una vez uno y solitario,
entender que el destierro es transeúnte
y vivimos como arena en el desierto.

Escribir con la tristeza de las flores
y ser estibador y campanario,
soñar que por las noches nos dormimos
y vivimos como sueños de gaviotas.

Los días pasados son sendero
que vuelve en su mirar la retirada.
Yo miro hacia adelante y me contengo
porque imaginarte cansa la mirada .

Insomnio contumaz y represalia
que recuerda las tristezas del tirano,
poema dormido en la conciencia
de una vida ser y escribana.

INMORTALIDAD

En la noche sideral vuelan las águilas,
sus alas tendidas como sierpes
pueblan de nubes mis ensueños.

Pasan días y páginas de libros
pero escribo unas letras y me siento,
el poema que me acecha es una estampa,
quizás no llevo en mí ninguna forma,
soy pura ilusión, puro fermento.

Una metáfora basta para alcanzar el cielo,
una línea feliz y afortunada
retumbante en la tierra de los hombres
y escuchada en la calle con silencio.

¿Cómo acceder a esa memoria mágica
que justifique mis años y mis sueños?
¿Cómo saber lo que mi voz invoca
cuando duermen en los troncos las señales?

La fortuna y la fama me atormentan
en mi triste condición desconocida.
Atormentan también al poderoso
que ha pisado el ámbito y la luna.

Buscar la armonía de los cantos,
el secreto solaz de una mirada,
la feliz tentación de quien castiga
y la ruda verdad del responsable.

No lo sé.
¿Se abrirá otra hondonada y su misterio,
al llegar a la cima visionaria?
¿Seguirá la ruta su destino
y seré otra vez yo el mendicante?

PARTITURA

Pobre tubérculo erguido,
necesitado de ruptura,
por la calle transitada
arrastra su brazo sediento.

Saber que quiere encontrarse,
buscarse en un grito y no verse,
entablar confundido el teorema
y sentir toda ansiedad, no presagio.
Asesinar a empellones el futuro,
fumarse en una pipa la contienda,
porque la lucha es penosa
y es más penoso el desierto.

Vivir la oscura galería de un viaje
y ser alucinado maestro,
que consigue en el mareo un mensaje
y ve en la tiniebla un semblante.

De la tierra inyectarse el suspiro
que atormenta la enana esperanza,
ser capitán glacial de una noche
que termina apagada en aurora.
Saborear la índica fruta,
el rastrillo que rompe la vena,
el suicidio de una aguja
suspirante en el alma entreabierta.

Ver el cuerpo sumido en consumo,
ver la risa perdida en un polvo,
la tristeza de carta extendida
el juego mortal y su apuesta.

Para qué vivir si no hay tortura,
para qué beber si no embriaga el sentido,
dormir una calle o una tormenta,
no escoger la nada y luchar contra el trompo.

Flor de la tierra madre
que arrojas tus esencias,
cargada de roja sangre
y de rojo padecer.
Hoja andina que vives,
sufre su tormento,
como hace el cineasta,
el bailarín, el hastío.

Una tarde pálida se acabará la paciencia,
ya no habrá morfina,
faltará la nafta,
y soltando la carga emprenderá la estrategia.
Morirá algún día,
(moriremos todos)
pero su viaje será alucinación y sima,
amapola amorosa,
terquedad sin límite,
cuando trinen las uñas
y se rompa el ventrículo,
y la policía irrumpa
poderosa y tierna:
" Todo el mundo al suelo,
arriba las almas".
La escena es tan triste
que no vale filmarla,
quizás un autógrafo,
un simple saludo,
y dejarlo solo
morir con su vida.

EN EL DESIERTO

No sé qué palabras busco en la noche sin fondo,
el miedo estelar me traspasa el rostro,
y siento la carne sucumbir a la tormenta.

En la pobreza de mis sueños
me veo perdido para siempre,
incapaz de soñar más luceros,
carente de mentiras,
lleno de estas manos mías
que se mueren,
y hambriento de esas manos
que me tocan.

Estoy lleno de ternura y cataclismo,
quiero besarte suavemente el rostro,
temblar en la mejilla y en la rosa,
no ver más la luna llena
salir de esta prisión y catacumba.

Perder para siempre el derrotero
y poder ser feliz, sin juramentos,
pensar que puedo amar
y en el desierto, vivir contigo
solamente, en el desierto.

LA PÉRDIDA

Día a día la vamos perdiendo,
mientras el cáncer se desarrolla
y nos llega la mañana;
mientras tanto perdemos el tiempo
en ufanos proyectos sin sentido,
en cálculos de tiempo y calorías;
perdemos poco a poco la cabeza,
los dientes que se caen por millones,
y el estómago, el pobre estómago,
que se pierde de una buena digerida.

Perdemos sin embargo la paciencia
cuando salen las estrellas en la noche.
Perdemos inevitable la cabeza
cuando entran las estrellas en la noche.

Para todo hay pérdida y ganancia,
pero más pierde el hombre que se siente
que aquel que al calcular se cuantifica.

Ya quisiera yo ganar las perdidas amistades,
los silencios que han quedado en el camino,
los amores que he visto en la vereda,
y la sonrisa dejada un día en el sombrero.

Del dinero ¡para qué hablar!
si he perdido todo el sueño y la insistencia,
dividendos de un ahorro que no tengo
contribuyo mensualmente al usufructo,
pero espero que el balance de mis versos
corresponda al sentir de mis silencios.

Eso ha sido mi vida
perdida en el declinar de mi cabello:
confusa poligamia de sonidos,
infinito atroz,
plurivocente...

¡Si ha de perderse el niño,
que se pierda continuo y torpe
el sórdido placer y el uniforme!

ENCÍCLICAS

Ciclo interminable de miseria
que se cierne oscuro en la ciudad,
caminos polvorientos de indigencia,
caravana sórdida, voracidad...

Siniestros misioneros de la muerte
manipulan la vigilia y el compás,
corazones pordioseros,
tristes cazadores de ilusiones,
enfermedad de arroyo,
mortandad.

En las mañanas luminosas de la estepa
estrangula la corbata al cargador,
maltrata el fusil la rosa de coral,
infunde horror el religioso
y piensa la estudiante:
castidad.

Nadie transige en la mesa al negociar,
salva el delegado su pecho ornitorrinco:
"tiene firmes posiciones y mucho que contar"
camina roquiforme,
sabe los megáfonos,
degusta de las fotos.
Interminable perorata,
malgastar.

En la esquina de un rellano
duerme un niño su agonía,
los pañales de su boca sirven de argumento,
y en la noche de silicio,
viento norte azotadizo,
su triste arrogadura
castiga de manera,
calamidad.

Los signos de la noche no declinan,
giran las estrellas de la mano,
y compra dolorosa una doncella
la carne enardecida de un donjuan.

Veo estas cosas y recojo, camino,
me perspiro la camisa que me abunda,
escribo cama, sendero, estibador,
y respiro casi todo, cíclico,
intermitente.

LO QUE MÁS QUIERO

Quiero reir pero me atormento,
quiero pasar por mis palabras
pero se levanta espuma,
quiero ser leal, diferente, terco,
pero se me ondula el corazón,
me compadezco.

A qué sentarme una vez más,
esforzarme corvo y siniestro,
si pasan las horas del silencio
y sobre mí se extiende este manto
azul, insoportable.

Ciertos días necesitan de muletas,
su paso inclemente golpea el sendero
y sobre la yerba crece una flor solitaria,
pobre sufrir, maldoliente.

Pretender esos días es vano.
Cansado de sentir y convincente
me resiento en mi llanto,
me interpongo
y todo lo que espero se estanca.

PROLIFERAN

Han caído por aquí unas semillas
que se visten de castigo,
se pasean orondas por el mundo,
hablan voces de caminos,
estilan modas portentosas,
y en algunas situaciones
muestran sus manos dormidas.

Sin saberlo, casi sin sentirlo,
se han llenado de dolores,
sus cuerpos se han poblado
de seres adversarios
que rompen poco a poco sus sentidos.

Van muriendo los amigos
aquellos que han quedado
pierden suavemente
la estampida.
En una esquina de la ciudad
un ser que se creía se contagia.
Nada detiene
al monstruo en
su consigna.

Faltan cardos para esta lágrima pujante
y sin embargo en otra conjunción del mundo
viven indiferentes los incendios.

Casas enteras han sido aniquiladas,
en la trinchera faltan arcabuces,
inadvertidos jóvenes caen mutilados,
niños, proxenetas, escritoras.
La tribu que nos diezma no lo sabe,
actúa bajo encargo de un infiel,
perdemos corazones, obras,
sinfonías, caminatas solitarias,
cruciformes.

A ninguno de mis amigos veré más.
Tarde o temprano todos caeremos,
la lanza o el puñal terminarán la carne,
y en un camastro de hospital,
flacos e infestados,
con los ojos perdidos en la hoguera
morirán los más fuertes guerrilleros.

Cayeron en el camino unas semillas.

FIGURAS

La poesía es cántaro de fuego,
guitarra armada y pacifista,
colección de urgencias sobradoras
y pulpa de la fruta que sabemos.

No escribo por causa cenicienta
ni sospecha vana del acero.
Canto porque ruge en mí un demonio
y me grita el sexo traicionero.

Conozco mis memorias sin concierto
y me juzgo transeúnte transparente,
pero sé que algo mío me traiciona
y me rompo, solitario, en mi talego.

No he domado al labrador que me atormenta
ni he salido de mi nuez con todo el cuerpo,
pero sé que algo rudo me mantiene
y me dejo caminar por la ensenada.

COMO SON LAS COSAS

Desde la montaña bajan
pequeños puntos luminosos que me llaman.
En medio de la noche se levanta el farol:
alumbra suavemente la caída.
En las alturas, entre la gente y las miradas,
pasea abiertamente un profesor.

La mesa se llena de rencores,
pequeñas mezquindades llenan
la pasión con sus sueños.
Vivo deslustrado,me entristezco,
y siento que se hunde el comedor.
Sonrío con la frente al adversario
y repito día a día la lección.
Escribo con disgusto,represento
y llego sin aliento al bodegón.

El hombre de la barba catequiza
con espíritu de viejo dictador,
el joven paternal es un careta
coartando la amistad con lucro y son,
y la esteta que electriza la melena
se espanta los sonidos del dolor.

74

Hay otros que nada presuponen,
sonríen carentes de expresión,
suponen una treta,
sospechan la ruptura,
no sé si cantan sones
o postulan dolor.

Alguno me estira la mano,
seduce una frase de candor,
piensa una noche,
habla de mañana,
quizás encuentre huellas,
quizás la salvación.

Así se ha planteado la partida,
dura y feroz la situación,
quiero pararme firme,
ser bastión y resplandor;
pero a veces me quiebro,
me suicido de ventanas,
me siento turbio ante la tarde...
no sé si es risa esta canción.

Luchar poco a poco y con esmero,
sacarle punta al lápiz,
ponerme la corbata junto al cuello
y pararme con las manos, suavemente,
con las manos, duro.

INSOMNE

En la larga noche proustiana
invaden las hormigas el cerebro,
me castiga la pasión de la memoria
y recuerdo los motivos y la ausencia.
Nada es suficiente.

El lápiz se demora en los acentos,
versa poco el habla de las horas.
La brillante escena de una tarde
vuelve ahora opacada por los sueños.
Se revelan las sonrisas traicioneras,
la mezquina extensión de un antebrazo,
la mirada inquisidora, la ausencia,
la llamada inoportuna.

Todo invade esta noche pesarosa.
El ansia de crear es inclemente,
febril la magnitud de los deseos;
esta fuerza foucaultiana,
demoníaca y demencial caricatura
se sabe triste documento de la nada.
Mas el genio residente en la silueta
se revela contra el odio del sistema:
"somos seres saturados de sapiencia",
Darío me sacude la corbata
y me viste sereno, elegante.

Ya es casi la mañana de Neruda,
hay que lavarse las pestañas,
enseñar los dientes
y empujar el carro de la muerte.

No hay tiempo que al reloj olvide
ni necesidad carente de una urgencia.
Tengo treinta siglos de existencia
y veinte tomos que escu(l)pir,
una hija, tres deseos,
la infinita imperfección de nuestro cuerpo,
y un temor mesiánico en la espina.

Que la noche proustiana se ampare de mí
y la comedia humana me perdone.

PARTIR, SIEMPRE PARTIR

Tiene mucho que ver con tus espacios infinitos
y la luz irreverente que sostienes,
o quizás sea solamente el sueño
desorbitado de algunos hombres,
la gravedad de los asuntos que entretienes
o el peso de todos los pesares:
esos rostros asomados en la noche
y nos piden unas gotas de licor,
las uñas que nos llaman con locura,
las imágenes de un rito de verano
que tiembla con tus pechos altaneros,
cualquiera sea tu motivo
te me impones como santo sacramento
suspendido en las alturas de la nada,
desplazando tiempo y distancia
de un sueño sin igual,
cauteloso en esta pérdida infinita de sentido,
insensible a la verdad de la paloma y el papel,
pero tierno y atento
a la fluidez del aire y la ilusión.
Tú que borras la distancia
de los días y los ríos
empeñado como estás en tus alturas,
no conoces la tristeza del olvido
viviendo siempre la emoción de la llegada,
el arribo constante de más horas
y la extensión continua de tus lados.
Qué majestuoso tu pecho niquelado
y las alas enormes de tus ojos que no miran,
piensa en lo que significa para mí
que escribo corto con un lápiz,
sentir todo tu peso sobre el aire trabajoso,
y volar...volar por la noche de mi tiempo
hasta verme más allá de la vereda.

¿HACIA DÓNDE VERTE SUEÑO?

Para Francesca

Te veo así de niña y me pregunto
hacia dónde van tus ojos soñadores,
hacia dónde esa mirada de sorpresas
y ese ímpetu de hembra.

Eres una vida que se estrena
en estas horas vagas de la tarde,
eres una nueva voz en la mañana
y pura sangre joven de la noche.

Todo tu universo aroma a dulce canto
y tu movimiento es carne sideral,
y en largas noches de insomnio
siento la existencia y la finalidad.

Me dejo perder en el sueño y la esperanza
y lucho por vivir el verbo con conciencia,
sé que todo es espejismo
y ser es una forma del suicidio,
pero me siento pleno en acto
y no me acobardo ante el precepto.
Deseoso de interpretación
leo en tus pequeños dedos

el futuro de mis días,
en tu corazoncito una preocupación,
y las líneas que traes en la mano
son como un mapa del cielo
son como un mirador.

Espero hija mía verte en el silencio,
espero lo sepas comprender,
que te encuentres en las horas de los días
y que algún día te asomes al balcón.

¿A DÓNDE REGRESAR?

Ante mí se levantan setenta fronteras.
Soy hombre de mis horas,
mis lugares fortuitos,
las esquinas evasivas
de este exilio eterno,
perdición de unos nombres
transformados en sueño,
recuerdos incesantes
cambian día a día,
ciudades de arcilla paseantes eternas
bajo las sombras celestes
de un poema nostálgico.

Escribo de noche en mesa desnuda,
descubriendo en silencio
la amplitud del deseo,
sin saber si mañana
viviré esta aurora
o entraré donde el sueño
me abandonó una mañana.

El tiempo vivido en tierras extrañas
es risa ligera, es viento cambiante
que pasa la tarde bajo una palmera,
es canto silente, es sueño...
es pedernal, es mortaja...

¿Dónde se sitúa el río
si el lecho ha sido revocado,
no hay contorno en la familia
y todo se ha perdido en el condado?

CASI AL MORIR

Parado en la esquina de Borbon y Toulouse,
viendo a la gente transportar su sonrisa,
perdido en la corriente de un siglo culminante.
La música flotando de las trompas
irrumpe en la calle con ardor,
y resuena en mi espíritu iluminado
con la nota viva y la imagen sol.

Ser de Nicaragua o de Nueva Orleans,
tomar cerveza negra o cantar la palabra,
desear a la mujer supuesta soberana
o estudiar con entereza la declinación.

Ver la existencia como un aeroplano,
saber esta noche es una quimera,
y el terrible mareo, la ilusión del aplauso,
la sentencia suena como un roedor.
Ser perro arrastrando su amo faldero,
un viajante que mira con gran devoción,
un beodo irredento, un genérico hombre,
una tarde sin puesta de sol.

Reflexiono la voz y se hace poema,
a la calle tiro mis monedas,
y transformo la basura en sueños
olvidados antes de llegar a casa.
Formas de la vida se hacen fortuna,
tramando la historia del camino,
conducentes al triunfo, al fracaso, a los sueños,
que terminan en beso, recompensa y adiós.

TESTAMENTO DEL POETA

Este día de hoy y a la misma hora,
en mi lecho de vida,
escribo de mi puño y sangre,
ante testigos huesos,
mi primera y única voluntad:
Declaro haber vivido a la fuerza
y haber muerto por mi propio gusto.

Nadie es inocente por mi crimen:
todo fue premeditado pero sin alevosía.
Pido se juzgue a los culpables
y se les absuelva,
que cumplan toda su condena
y se les entierre en camposanto.
Declaro heredero universal de mis bienes
a todos mis males:
sólo ellos me han sabido reprender.
Le dejo mi casa al rentista,
mis zapatos nuevos al conductor,
al estudioso un libro en blanco
y la pluma con que escribo al pavorreal.
La fundación que he creado
administrará mis deudas,
los libros que no he escrito
se los dejo a mi editor,

a mis hijos les heredo mis pecados
y a quien me metió en prisión mi libertad.

Los muchos años que poseo
los lego a mis amigos por igual.
El usufructo de mis penas va a mi madre
siempre sabia para comprender.
A mi padre le heredo mi corbata,
el cuello que la talla es sustancioso
y una nuca nunca pude conseguir.

A mi hermano entréguenle el abrazo
guardado en mi saco de color,
que lo cuide y lo alimente con gimnasia
y lo use cuando haya menester.
A mi hermana le dejo mis rodillas;
no son fuertes pero saben perdonar,
se doblegan ante el hombre caído
y torturan al usuario sin piedad.

A mi esposa le dejo mi dinero,
a mi amante le cedo mi dolor,
a la que me dejó por otro, mi cariño
y a la que me hizo llorar, todo mi amor.
El resto de mi haber, muy caudaloso,
lo dejo escondido en un cajón,
la llave para abrirlo no la tengo
y el sitio donde está se me olvidó.
Ahora les suplico que se marchen,
que partan en silencio y sin llorar,
que no me pidan nada que no tengo
y en mi tumba me dejen respirar.